다미책

Susie Kim & Lenna Kim

Prologue

프롤로그

「다미책」은 미국에서 태어난 다미가 서툴고 어렵게 한국말을 배워가는 과정의 에피소드들입니다.

돌아서면 잊혀질 내 기억을 믿지 못해 메모했던 쪽지들이 한 권의 책으로 엮어지게 되었네요.

특별한 것 없는 일상이지만 다미의 말은 꽃이 되고 시가 되어 모든 순간 엄마에게는 특별했습니다.

시간의 흐름 속에 연륜(^^)이 묻어난 다미 어록은 페이지를 넘길수록 더 재미있을 것입니다.

다미가 경험하는 세상 속에 함께 동화되길 바랍니다. 「다미책」 내용 속 다미의 말대로 '너도 애였었는데'…

그럼 이제 우리가 잊고 지냈던 유년 시절로 잠시 빠져들어가 볼까요?

목 차

2부(네 살·다섯 살)

3부(여섯 살·일곱 살)

4부(여덟 살·아홉 살)

5부(열 살~열네 살)

1부

두 살·세 살

요리사

9. 15. 2010

다미	다미는 커서 요리사 될 꺼야!
엄마	아이고~ 우리 효녀~ 엄마 맛있는 음식 만들어 주려고 요리사 된다고 하는 것 좀 봐~~
다미	아니!!! 맛있는 거 만들어서 다미 먹게!!
엄마	(당황해서 말이 안나옴)

'지금까지 키워놨는데..' 그러나 이제 겨우 두 살.. ^^

환경의 지배

11. 22. 2010

리나 이모의 미용실

모든 사람과 사물에 특징적인 닉네임 짓기를 좋아하던 다미.. 이뿐이 이모로 시작되어 멋쟁이 이모, 날씬이 이모, 참 좋은 아저씨까지.. 리나 이모 친구들의 닉네임을 지어주었다.

주차장에 파킹하고 걸어오시느라 힘든 할머니가 소파에 앉으시자마자 씩씩하게 할머니에게로 다가가서..

다미 파마하시려면 (미용의자를 가리키며) 이쪽에 앉으세요..
우리 모두 (웃으며) 이래서 환경이 무섭구나..^^

정확한 표현

12. 2010

정수기 필터 점검하는 날이라 방문하신 정수기 아저씨...

아저씨 너.. 몇 살이니? (생각해 보시더니) 세 살?

다미 아니요.. 세 살 돼가요..

아저씨랑 엄마 (웃음)

얼마 전까지만 해도 '몇 살이니?' 하면 '두 살 반이요~' 했었는데..

그새 많이 컸네.. ^^

파파야!

2. 25. 2011

다른 사람에게 이름 대신 "야!"라고 부르는 건 좋지 않다고 엄마에게 들어 알고 있던 다미.. 리나 이모랑 간 마켓에 진열된 과일들이 온통 신기하고 궁금하다.. 그중 파파야를 처음 본 다미.

다미 이건 뭐야?

리나 이모 파파야야~~

다미 "야!" 하면 안되지~~

Beauty is Pain

4. 5. 2011

한국 할아버지 댁에 3개월 여행간 다미..

새로 산 여름 샌들이 아직은 추워서 못 신게 했는데 말 안 듣고 신고 다니다 결국은 넘어진 상황.

다미	(울려고 인상이 변해갈 때)
할머니	아이고~~ 이제 이 신발 못 신겠다!!
다미	(할머니를 쳐다보더니 벌떡 일어나 툭툭 털며) 애들은 넘어지면서 크는 거예요!
할머니	(웃음)

'그렇게도 신고 싶을까??'

다미의 꿈

5. 17. 2011

다미	엄마~ 나 꿈꿨어!!
엄마	무슨 꿈이야~~?
다미	음...하늘에서 뭐가 뚝!! 떨어졌어...다가가니 빗방울이야~ 아! 시원해~~ 그런데! 맛을 보니 앗! 차가워!! (씩 웃으며) 아이스크림인거야~~~
엄마	빗방울 아이스크림..? ^^

- 아이스크림을 사랑하는 다미의 꿈 -

선입관

5. 18. 2011

부산 이모할머니 댁에 가는 고속버스터미널

책에서만 보았던 군인아저씨를 처음 보더니..

다미	(갑자기 깜짝 놀라며) 어!! 군인아저씨다!!!
	(속삭이듯 혼잣말로) 같이 사진 찍고 싶어..
엄마	그럼 가서 다미가 말해봐~~~
다미	싫어!! 총 쏘면 어떡해~~~

사람 사는 이야기

5. 19. 2011

남대문시장

박수 치며 발바닥 치며 골라아~ 골라!! 골라아~ 골라!!

다미 (한참을 쳐다보다) 엄마!! 골라가 뭐야?

엄마 ㅋㅋㅋㅋ

마음속에 품은 생각

5. 31. 2011

한국여행 중 현주 이모 차안

네비게이션	전방에 어린이보호구역이니 조심하세요!
다미	엄마!! 어린이 프로 시간이니 준비하세요! 하네??
현주 이모랑 엄마	(웃음)

마음속에 품은 생각은 많은 것을 변화시킵니다.. ^^

비밀

6. 2011

책 읽다가 "비밀"이란 단어가 궁금해진 다미..

다미	엄마.. 비밀이 뭐야~~?
엄마	비밀은.. 아주 소중한 거라 아무에게도 말하지 않는 거야. 혼자서도, 둘이서도, 여럿이서도 비밀을 가질 수 있지만 비밀을 나누지 않은 사람들에게는 절대!! 말하지 않는 거야~
다미	그럼~~ 우리도 비밀 만들자 엄마..
엄마	음.. 엄마가 다미 엉덩이 만져줄 때 다미가 방귀 낀 거 할까?

그날.. 우리의 첫 번째 비밀이 생겼습니다. ^^

신데렐라

6. 2011

외출 하는 길.

신발 신는데.. 먼저 문을 나서는 다미에게..

엄마	다미야~~ 엄마랑 같이 가자..
다미	(매몰차게) 안돼!! 넌 옷도 없고 신발도 없잖아!!!!
엄마	(놀라서 혼잣말) '신데렐라를 너무 많이 읽었나봐....'

농담 1

7. 30. 2011

다미와 동화책을 읽다가 Meercat 그림이 나오자..

엄마	다미야.. 이게 뭐지??
다미	(이름이 정확하게 생각나지 않는지 알쏭달쏭한 다미)
엄마	(힌트를 주며) 미어.. 미어..
다미	(생각난듯) 어! 미역국!!!
엄마	(놀라며) 엥?
다미	(씩 웃으며) Meercat!
우리 둘이	(웃음)

'이젠 농담도 고단수!'

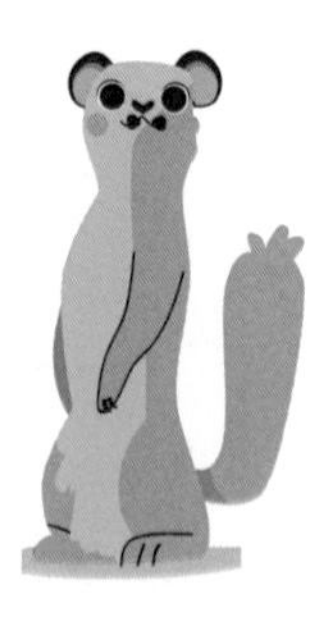

식사기도 1

7. 31. 2011

식사하기 전 같이 기도 중..

날마다 우리에게~~ 양~식을 주시는~~~ 은혜~

다미 (기도 중에 갑자기) 엄마!!

엄마 응?

다미 오늘은 한식인데!!

엄마 ....

'그 양식이 아닌데...'

진실

8. 2. 2011

할아버지가 농사지으신 땅콩을 맛있게 먹고 있는 다미..

엄마	다미야~~ 엄마도 줘~
다미	(땅콩하나 건네줌)
엄마	음~~ 다미가 주니깐 너무 맛있다~~ ^^
다미	아니야~~ 다미가 줘서 맛있는게 아니라 땅콩은 원래 맛있어~~
엄마	......

땅콩을 좋아하는 다미도, 기분 좋으라고 예쁘게 포장하지 않는 다미 마음도, 다 사랑스럽다.....

그래서 그런 거야

8. 4. 2011

엄마 다미야~ 성규네 물고기, 집으로 데려올까? 성규가 물고기 밥을 안 줬데~ 학교 다니느라 바빠서 그랬나 봐..

다미 그럼 지은이 이모가 주면 되잖아~~

엄마 지은이 이모는 한결이 찌찌주고 키우느라 바쁜가봐..

다미 그럼 영은이 이모(지은이 이모 동생)가 주면 되잖아!

엄마 영은이 이모는 이제 한국가려고 준비 중이라 바쁜가봐..

다미 그럼 다미가 주면 되겠네..

엄마 그래~~~ 그래서 물고기 데려오는 거야.. ^^

'휴~~~ 이해시키기 힘들다~~ ^^'

순수의 시대

8. 21. 2011

할아버지께 자꾸 반말로 대답하자 점점 거슬리는 할아버지..

할아버지 너! 좁쌀밥 먹었냐??

다미 전... 햄버거 먹었는데요.!!!

우리 모두 !!!!!!!!

착각

9. 23. 2011

영희 할머니랑 차 타고 외출하는 중.

할머니가 대추를 한입 배어드시니 좋아하는 대추가 하나밖에 안 남은 줄 착각한 다미..

다미	(봉투 속에서 마지막 하나를 확 꺼내서) 할머니! 대추는 이렇게 먹는 거예요. (하더니, 다 먹어버린 후) 이렇게요!!
엄마	(황당하고 무안한 엄마) 다른 봉투에 잔뜩 있는데.. 식탐은...
할머니와 엄마	(웃음)

뒤늦은 감사

9. 27. 2011

집에 놀러 오신 헬렌 집사님이랑 잠깐 나가더니 빵을 잔뜩 사들고 온 다미.

엄마 다미야~~ 집사님께 '감사합니다~~' 했어요??

다미 아니! 지금 해야지....

잠들기 전 1

9. 2011

엄마	다미야~~ 엄마 사랑해~?
다미	(졸려서 개미목소리로) 응...
엄마	(계속 궁금함.. 평생 궁금함..) 얼만큼~~?
다미	(졸린 몸으로도 팔을 끝까지 벌리며) 이만~~~~큼..
엄마	(아.. 흐뭇해하며 웃음)

예전에는 몸으로 표현 못 했는데.. 아이들은 팔을 다 펴서 표현할 수 있는 것까지가 전부라고 생각합니다.

엄마도 다미 이만~~~~~큼 사랑해~~~

동화 같은 현실

10. 9. 2011

북한어린이에 대해 얘기 나누던 우리

다미 엄마.. 그 얘기 재밌어요.
이번에는 다른 동화 얘기 해 주세요..

엄마 (어이없고 슬픈 표정만..)

'다미야.. 이게 현실이야,, 이렇게 힘들게 사는 아이들이 진짜로 많아....'

잠들기 전 2

11. 3. 2011

엄마	다미야아~~~~~
다미	네..
엄마	자알자아~~~~~~~~
다미	(무척 졸린 다미... 겨우 대답) 네에..
엄마	(폭풍 뽀뽀) 쪽쪽쪽쪽쪽쪽!!!
다미	(개미목소리로) 엄마..
엄마	(반가워서) 왜에? 우리 아가아?
다미	(개미목소리로) 시끄러워서 못자겠어...
엄마	(씩 웃으며.. 혼잣말) '뽀뽀소리가 너무 컸나? 굿나잇 뽀뽀가 너무 길었나?'

게임의 법칙? 엄마의 법칙!!

11. 2011

어떤 게임이든 엄마가 만드는 법칙은 불변!!!

엄마 다미야.. 지는 사람이 이기는 사람에게 뽀뽀하기다~~~

다미 (재밌어하며) 응!

엄마 (속으로.. '순진하긴!'하며 비열한 미소 지음)

그래서 우리는 어떤 게임을 하던 서로 뽀뽀를 주고받습니다.

다미야.. 하루 종일 뽀뽀해도 부족해~~~

언제까지 이 법칙이 통할까.....??

불편한 진실

11. 2011

Mommy & Me 수업 후

Mommy & Me에 새로 온 친구 세바스찬의 엄마와 얘기 나누다가…

엄마	다미야~~ 이 친구 이름은 세바스찬이야..
다미	(도저히 믿을 수 없다는 표정으로 거칠게) 세바스찬은 다람쥐야!!!
엄마	(웃음)
세바스찬과 세바스찬 엄마	(영문도 모르는 채 당황하고 놀람)

다미가 요즘 빠져있는 동화책에서는 다람쥐 이름이 세바스찬..

그때그때 달라!

11. 2011

좋은 것이 매일 바뀌는 다미..

엄마 다미야~~ 엄마는 세상에서 우리 다미가 제~~~~~~~~일 좋아.. 다미는..?

초콜렛 앞에서는 초콜렛! 딸기 앞에서는 딸기!
그래도..
밤만 되면 엄마 찾는 걸 보면 아무래도 엄마를 젤 사랑하나봐~~~ ^^

말 잘듣는 우리 다미

11. 23. 2011

다미　　엄마.. 사과 먹고 싶어.

- 잠시 후 -

엄마　　다미야~ 사과 다 깎았어.
추우니깐 이불 속에 가서 먹어~~

사과 껍질 버리고 가보니 텐트처럼 이불을 뒤집어쓰고 있는 다미...

엄마　　(놀라서) 다미야.. 이불 속에서 뭐해??
다미　　엄마가 이불 속에서 먹으라고 해서 이불 속에서 먹는데 왜 그래??
엄마　　........

그럴 때는 말 잘 듣네..^^ 추우니깐 이불 덮으라는 소리였는데.. 그리고.. 그게 세 살 반짜리가 할 소리야??? ^^

나눔이란....??

12. 2011

Mommy & Me 수업 후

선생님께 병주랑 다미랑 똑같이 초콜렛 2개씩 받았는데.. 다미는 얼른 먹고 병주는 아끼는 중.. 병주한테 가서 먹고 싶은 티를 내는데 주지 않자...

다미 (이해할 수 없다는 표정으로) 엄마!! 병주가 쉐어 안 해!!!

엄마 (대략난감) .....

책에서는 맛있는 것은 나눠먹으라고 했는데.. 심지어 동요에도 있긴 한데.. 이런 경우도 나눠 먹어야하나??? ^^

말이 그렇다고~~ 1

12. 1. 2011

Michaels craft store

마이클스에서 화분을 사고 계산하려고 줄 서있다가 갑자기 필요한게 눈에 띈 엄마..

엄마 (화분을 내려놓고 다급한 목소리로) 다미야! 이거 갖고 잠깐 줄 서있어.. 엄마 금방 올게~~~

- 잠시 후 -

라인에 가보니 화분이 무거워서 엉덩이를 뒤로 쭉 빼고 얼굴이 빨개져서 낑낑거리면서도 계속 들고 있었다..

엄마 (너무 미안하고 놀란 표정) 그냥 지키고 있으란 거였는데... ㅠㅠ

한국말은 어려워~ 존댓말은 더 어려워~~

12. 2011

리나 이모	다미야.. 요플레 이모가 먹여줄게.
다미	아니.. 저분이 먹여 주실 거야
리나 이모랑 엄마	....

한참 존댓말을 배우는 중.. 저분은..? 바로 엄마 ^^

선물

12. 29. 2011

오늘 아침식사 기도는 다미..

다미	하나님.. 제가.. 하나님께 선물을 드리고 싶은데... 마음에 몸이 있는 것도 아니고.. 구멍이 뚫려있는 것도 아닌데.. 어떻게 선물을 드릴 수 있을까요??.... 아멘.
엄마	(뒤따라) 아멘.

'다미야.. 그 선물 하나님께서 벌써 받으셨겠다.. ^^'

2부

네 살·다섯 살

수수께끼 선수

2. 7. 2012

\# 학교 가는 길

다미	엄마!
엄마	응?
다미	나무는 나무인데 가장 큰 나무는?
엄마	어~~ 뭐지?
다미	엄마가 맞추면 다미가 학교 끝나고 놀아주고, 못 맞추면 안 놀아준다!
엄마	어... 뭘까? (생각난 듯) 아! 팜츄리나무!
다미	(씨익 웃으며.. 조용하게 다미 스타일 힌트) 재에액... 재에액...
엄마	(생각난 듯 소리치며 장난으로) 아!! 잭크와 콩나물!!!!
다미	(낄낄웃으며) 잭크와 콩나무~ 아무튼 맞았어! 이따 만나 엄마~~~ 내가 놀아줄게...

그렇게는 못해 !

2. 12. 2012

다미 엄마!! 동물병원, 팻샵, 치과, 아트선생님...
엄마 일 너무 많이 해!!
엄마 하!나!만! 결!정!해!!!

엄마 (웃음) 다미야~ 미국 생활이 쉽지가 않아~~~ ^^

예수님의 첫 번째 기적

2. 14. 2012

책 제목 : Jesus First Miracle!

엄마　　예수님의 첫 번째 "기적"이래~ 재미있겠다! 읽어보자!!!

영어성경을 한글로 번역해서 읽어준 후..

다미　　응~ 엄마! 그런데 예수님의 첫 번째 "기저귀" 어디 있어??

엄마　　엉?

내사랑 멍멍이

2. 14. 2012

다미　　　　(혼잣말) 멍멍이 데려와서 책 읽어야지...

집 청소하며 한참이 지난 후.. 너무 조용해서 다미가 어디 있나 찾아보니 세탁기 돌아가는 것 쳐다보고 있었습니다.

엄마　　　　세탁기 돌아가는 거 신기해??

다미　　　　(눈물이 그렁그렁해서) 다미.. 멍멍이 보고 있어..

아침에 세탁기 돌리면서 멍멍이를 말도 없이 넣었더니 섭섭했나 봐요.
밖에 나와서 스케치북에 멍멍이를 그립니다.
다미 태어날 때 미국 오시면서 할머니가 사다 주신 멍멍이 인형은 다미랑 같은 날 태어난 네 살배기 친구랍니다.

다미가 그린
멍멍이

게임의 법칙? 다미의 법칙!!

3. 11. 2012

다미 엄마는 보자기내요..

엄마 다미는?

다미 ....

엄마 아 알았어. 가위! 바위!! 보!!!

다미 와!!! 다미가 이겼다~~~

다미는 가위 냄!!!

엄마는? 당연히 보자기.. ^^

Just right!

3. 2012

\# 프리스쿨 앞

엄마 (학교 끝나고 만나 반가운 다미에게) 다미야~~
오늘 학교에서 추웠어..? 안 추웠어..?

다미 (시원하게) 춥지도 않고 덥지도 않고 딱 좋아!!!

엄마 앗싸~~~ ^^

엄마의 착각

3. 25. 2012

아침에 꼬물꼬물 일어나는 다미에게 뽀뽀를 쪼옥~ 하니..

다미 (행복한 미소를 지으며) 아~~~~

엄마 (엄마 입맞춤에 행복해 하니 엄마도 덩달아 미소)

그런데!!!!! 반전!!!!!

다미 (아쉬운 표정으로) 엄마 입술이 초콜릿으로 변해버렸으면 좋겠다.. ㅠ

초콜릿 꿈에서 아직 깨어나지 못한 다미...

예수님이 모델

4. 2012

백화점 1층 화장품코너

샤넬 향수의 새 모델 브레드피트 사진이 크게 걸려있다.
이를 본 다미.

다미 (반가운 표정으로) 엄마!! 예수님이야???
엄마 어! 성경 동화책이랑 닮았네....^^

철학적인 질문

5. 27. 2012

큰이모네 집

메모리얼 연휴라 미국에 놀러 온 보령 언니도 만나고 사촌 언니들도 만나고 이모네서 푹 쉬다 집에 가는 날 아침..

다미	이모.. 엄마가 아침에 집에 간데요.. 그런데 제가 왜 가야돼요???
이모	.....
엄마	.....
우리 모두	.....

아쉬운 이별

5. 28. 2012

희연 언니 기숙사에 데려다주고 헤어질 때..

다미 (헤어져야 하는 걸 알지만 그래도 섭섭한 다미) 희연 언니..
학교에서 공부할 때 다미 생각하면서 공부해~~

희연 언니 응... 알았어... ^^

설득력

5. 28. 2012

엄마와 식당에 간 다미..

엄마	다미야... 오늘 설렁탕 먹을래?
다미	오늘 콩나물 먹을래요. 발레리나 되려면 다리가 길어야 돼요. 다리가 길려면 콩나물 많이 먹어야 돼요. 그래서 콩나물 먹어요..
엄마	...

더 이상 할 말이 없네.. 그래서 우린 그날 저녁 콩나물국을 먹었습니다.

세상신기

6. 1. 2012

프리웨이를 달리는 중 오픈카를 처음 본 다미..

다미	(신기한 듯 놀라며) 엄마!!!! 저 차는 왜 천장이 날아갔어??
엄마	(웃음)

참기 힘든 고통

6. 9. 2012

열감기로 100도 까지 온도가 올라간 다미..

다미 (엄마에게 안겨 울면서) 엄마~~ 말려줘~~~ 엉엉~~
엄마~~ 다미 Cool Down 하게 해줘~~ 엉엉..
엄마~~ 다미 원래 데로 만들어줘~~ 엉엉..

엄마 ....

그날 정신없이 차를 몰고 응급실 파킹랏으로가 다미를 안은 채 오랜 시간 서성였습니다.
혹시 열이 더 올라가는 위험한 상황이 오면 바로 뛰어들어 가려고...
다행히 열이 내려 울다 지쳐 잠든 다미를 데리고 집으로 다시 왔습니다.

식사기도 2

6. 15. 2012

다미의 아침 식사기도..

다미	하나님 감사합니다. 이렇게 맛있는 음식을 주셔서요. 엄마, 아빠 출근할 때 Crash 안되고 Carefully Drive 할 수 있게 도와주세요..
우리 모두	아멘.

사오정

7. 22. 2012

OO압력밥솥에서 밥이 다 되니 "쿠쿠 하세요~~ 쿠! 쿠!" 했다..

다미 (갑자기) 엄마! '푸푸 하세요~~ 푸! 푸!' 그러네...?

엄마 ㅋㅋㅋㅋㅋㅋㅋㅋ

쓸데없는 걱정

8. 4. 2012

껌씹는 다미를 쳐다보다가 문뜩 생각나서 노파심에...

엄마	다미야~~ 다른 사람이 먹던 껌 씹으면 안 돼~~
다미	엄마는 괜찮아.. 남 아니야!!
엄마	아이고~~ 고마워라~~

별명 짓기 선수

10. 17. 2012

프리스쿨에서 픽업 후 집에 가는 길

엄마	아이고~ 우리 다미 낮잠 자고 일어나서 머리 예쁘게 묶었네... 누가 이렇게 예쁘게 해 줬어요?
다미	OO선생님!
엄마	그 선생님이 누구야??
다미	있잖아~~ (속삭이듯 소곤소곤) ... 엉덩이 큰 선생님...
엄마	ㅋㅋ

이젠 사람마다 특징도 잘 찾아냅니다.

그래도 예쁜 특징을 찾아야 할 텐데... 말하고 자기도 웃긴지.. ㅋㅋ

밥순이

11. 8. 2012

저녁식사 후 한참 놀다가 자기 전에 책 읽으러 방에 들어가려는 타이밍.

다미	엄마~ 밥 먹자!
엄마	아까 통닭 먹었잖아~
다미	통닭은 그냥 먹은 거지 어떻게 통닭이 저녁이야? 밥을 먹어야 저녁이지…

그래서 우린 밤 9시쯤 2차 저녁을 "밥"으로 먹었습니다.

그것도 그렇네 1

11. 9. 2012

엄마	(푸푸 닦아주면서) 이 토실토실 엉덩이는 누구 겁니까?
다미	(씩씩하게) 엄마 겁니다!!!
엄마	(흐뭇하게 웃으며) 이 건강한 푸푸는 누구 겁니까?
다미	(더 씩씩하게) 변기 겁니다.!!!
엄마	!!!!

'그것도 그렇네..'

그것도 그렇네 2

11. 13. 2012

엄마　　다미야.. 1+1= 뭐야??

다미　　11

'그것도 그렇네..'

철없는 따님

11. 18. 2012

샤워하고 나와서 물도 안 닦고 팬티 입는 다미..

엄마	다미야~ 엉덩이 닦고 팬티입어야지..
다미	(킥킥 웃으며) 아.. 철이 없어서 그래요~~
엄마	!!!!

빨간 점

11. 25. 2012

책제목 : 양돌이가 돌아왔어요.

어느 날 엄마와 나들이 간 양돌이가 없어졌어요.

"누가 우리 양돌이 좀 찾아주세요~~ 흑흑"

"우리 양돌이는 배꼽 밑에 빨간 점이 있어요~~ 흑흑"

엄마 (장난기 발동한 엄마.. 책 읽어주다가 갑자기 배꼽 밑에 있는 엄마의 빨간 점을 보여줬더니)

다미 (갑자기 흐느끼기 시작함) 엄마가 그럼 양돌이야? 다미 엄마 아니야? (충격 받아 곧 울음을 터트릴 것 같은 다미..)

엄마 아니야~~ 엄마도 양돌이처럼 배꼽 밑에 빨간 점 있어~

그 후로 이 책을 볼 때마다 엄마랑 양돌이랑 똑같다고 놀립니다.^^

그것도 그렇네 3

11. 29. 2012

식탁에서 홈웍으로 그림 그리는데 너무 잘 그리니까..

리나 이모	아휴 잘 그리네~~ 이 그림 누가 그린거야?
다미	이건 홈웍 만든 사람이 그린거야..
리나 이모와 엄마	…

'그것도 그렇네.. 정확히 말하자면 다미는 그림 안에 컬러링만 하고 있었으니깐..'

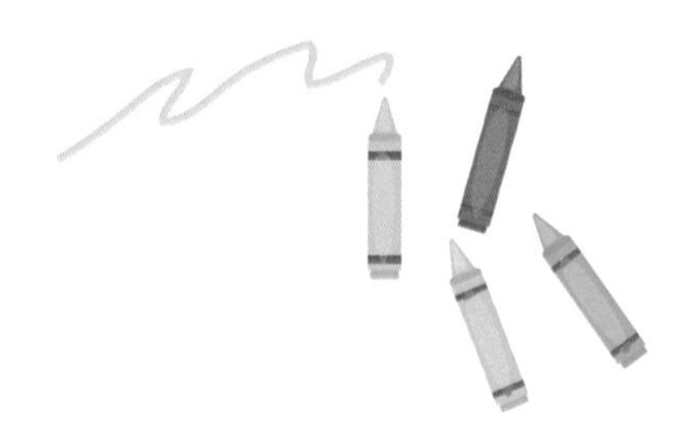

다미의 기도

11. 29. 2012

엄마랑 미용실 놀이를 하다가 머리를 한움큼 뽑아버려서 "아야~~~~!!!" 비명을 지른 엄마..

다미	(갑자기) 하나님.. 엄마가 다미에게 신경질 안부리게 해 주세요.. 안전운전 하게 해주시고...

잠깐 기억이 않나 눈을 떳는데 마침 방충망에 뚫린 구멍을 보더니,

다미	하나님.. 저 구녕(?)으로 들어오는 파리를 지켜주세요.
엄마	(뽑힌 머리잡고 황당한 기도에 황당한 표정)

안개 낀 날

11. 30. 2012

프리스쿨가는 차 안

운전 중인 엄마..

엄마	와~ 오늘 안개 많이 꼈다...
다미	엄마. 내 눈에는 안개가 들어갔어..
엄마	(웃음)

부끄러움

12. 1. 2012

엄마	다미야~~~ 다미 훌륭한 사람 되어야해~~ 남들에게 도움 줄 수 있는....
다미	엄마~~ 난 훌륭한 사람 안할래..
엄마	왜~~~?
다미	부끄러워~~~

규칙 같지 않은 규칙

12. 1. 2012

너무 스케치북을 낭비해서 쓰는 것 같아서...

엄마	다미야.. 스케치북은 하루에 4페이지.. 이게 규칙이야!!
다미	다미는 규칙 같은 거 싫어!!
엄마	(듣고 생각 중)

다미 말이 맞네.. 생각해 보니 그런 규칙이 왜 필요하니.. 찢어버린 것도 나름 작품 활동(?)이였는데 낭비라고 생각했네..

대단한 관찰력

12. 6. 2012

엄마 회사에 처음으로 와본 다미..

사무실도 둘러보고 정수기 모델들이 쭉 진열된 쇼룸을 보더니..

다미 엄마.. 엄마 회사 물집이야??

엄마 (놀란 표정으로 웃음) 응

'정확하게 알아보네!!'

Boy Friend? Just Friend!

12. 10. 2012

다미	엄마.. 다미 남자친구 생겼어..
엄마	와~ 다미 좋겠다!!!! 그 친구가 다미 왕자님이야??
다미	아니~~~ 그냥 남자친구야. 왕자님은 너무 부끄럽지~~~~~~~

빨래방

12. 11. 2012

다미	엄마.. 찜질방은 방이 있어서 찜질방인데 빨래방은 왜 방도 없는데 빨래방이야??
엄마	(잠깐 망설이다가...) 빨래의 방은 세탁기 통이 아닐까?
다미	에이.. 그러지 말고 똑바로 가르쳐줘~!!!
엄마	....

이제 컸다고 얼렁뚱땅이 안통하네.. 우리 다미~

명쾌한 답변

12. 2012

엄마	다미야~~ 엄마 일 너무 많이 해서 오늘 너무 힘들다~~
다미	(너무나 명쾌한 해답인 듯) 엄마! 그럼 내일부터 엄마가 학교가! 다미가 회사 갈께..
엄마	.....

'걱정해 줘서 고맙긴 한데~~~ 그게....'

엽기토끼

12. 14. 2012

엄마	다미야.. 할머니 집에 토끼 여러 마리 있는데 엽기토끼도 있데!! 뭐든 잘 먹는데.. 토끼가 고기도 잘 먹고 생선도 잘 먹는데....
다미	(잔뜩 신나고 흥분해서) 할머니한테 전화해보자!

- 할머니랑 토끼얘기 한참 하다가 -

다미	할머니! 이제 토끼 바꿔주세요!!
할머니랑 엄마	....

다 큰 줄 알았는데 아직 애긴 애네.. ^^

100불

12. 18. 2012

#다미랑 책 읽는 저녁시간.

읽고 싶은 책 골라오라고 했더니 이 책 저 책 꺼내 보다가..

다미	와!! 이 책 비싸다!!!!! 100불이네~~
엄마	뭐가 다미야?

다미가 들고 있는 책을 보니 책 제목 "세계 100나라 대표 동화 100" 네 살 반인 다미는 100이 가장 큰 거라 생각하고 있습니다. ^^

세계 100나라 대표동화 100 <아프리카편>

12. 18. 2012

엄마	(그림을 보며) 다미야.. 아프리카 사람들은 대부분 얼굴이 까매..
다미	다미 친구들도 까만 친구 있어.
엄마	맞아.. 다미 반에도 아프리카에서 온 친구 있을 거야..
다미	아니야.. 다미 친구는 선블럭 안 발라서 까매 진거야..
엄마	아.....

상처

2. 23. 2013

에린이, 케일리, 다미 아트시간..

엄마	오늘 열심히 한 사람은 아트 수업 후에 상을 줄 거예요~~
다미	(잠시후.. 망설이다 조용히 다가와서) (속삭이며) 엄마 그럼 안 받는 사람이 상처받으니깐 상 다 줘~~
엄마	(속삭이며) 그럼 다미만 줄까?
다미	(살짝 망설이다 조용히) 응…
엄마	(웃음)

그날 아트 수업 후에는 상처받는 사람 없이 모두 상을 받았습니다..

수수께끼

3. 9. 2013

다미	엄마~ 수수께끼 낸다~ 브라운색인데 다미가 제일 좋아하는 것은?
엄마	음... 초콜렛!!
다미	(씩 웃으며) 왜 이렇게 쉽지~~?

그날 우리는 수수께끼 정답을 맞춘 기념으로 초콜렛을 먹었습니다.

썸머타임

3. 10. 2013

일요일아침 교회 가는 길...

엄마 (혼잣말로) 썸머타임을 깜빡해서 교회 늦을 뻔 했네...
(갑자기 궁금증이 생긴 엄마) 다미야~ 썸머타임이 뭔지 알아?

다미 (시원하게) 응!

엄마 (벌써 학교에서 배웠나? 놀라면서도 내심 자랑스러워하며..)
역시~~ 아고, 똑똑한 우리 다미.
(애교부리며) 뭐야~~~?

다미 (시원하게) 썸머타임에는 개미가 많아지는 것!

엄마 (웃으며) 그래. 더워서 개미가 많이 번식하긴 하지...

아는 척은...

3. 2013

잠자기 전 한국 전래동화 읽다가..

엄마	다미야~~ 옛날에는 차가 없어서 말 타고 다녔어..
다미	(아는 것처럼 맞장구치며) 맞아!! 옛날에는 말 타고 타겟* 갔어!!
엄마	!!!

* Target : 미국의 대표적인 원스탑 쇼핑몰

무궁화꽃이 피었습니다!

3. 2013

엄마	다미야! 엄마가 '무궁화꽃이 피었습니다' 가르쳐 줄게.. (하는 방법 몸으로 알려주고) 앞으로 다 나오면 술래를 치고 뛰어 도망가는 거야..
다미	(노는 거는 금방 이해함) 응!
엄마	그럼 한다~~ 엄마가 해볼게 다미가 술래 해봐~~~
다미	응! 물구나무꽃(?)이 피었습니다!!!!
엄마	(웃음)

물구나무 잘하는 건 알겠는데… ㅋㅋ

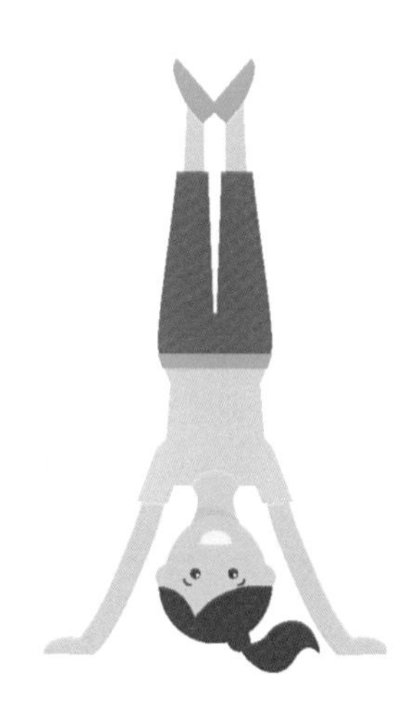

농담 2

3. 2013

다미	(밥 먹다가 먹기 싫은 표정으로) 엄마.. 그만 먹을래..
엄마	(속상한 얼굴로 가보면 그릇이 싹~ 비워져 있음)
다미	(그런 엄마가 재밌는지 씩~ 웃으며) 농담이야!!!

'아이고.. 이제 농담에 재미 붙였네!!'

엄마놀이 1

4. 2013

다미	엄마.. 우리 엄마놀이하자.. 다미가 엄마고 엄마가 다미야.. 알았지???
엄마	(벌써 애기가 돼서) 웅~~~
다미	엄마가~ 축복기도 해줄게 우리 아가~~~ (눈을 지그시 감고 머리에 손을 얹더니) 날마다 우리에게 간식(X)을 주시는 은혜로우신 하나님 잘 먹겠습민다.(X)
엄마	!!!!!!

'뭐가 다 뒤죽박죽인 이 상황.. 아무 말도 못하고.. 이건 식사기도 아닌가??'

손님접대

5. 2013

캔디 이모가 집에 놀러 오시면서 강아지 '두비'를 데리고 오심.

다미	(두비를 보자마자 방으로 가서 한참 만에 소꿉놀이 접시를 가지고 온 다미.. 접시 안에 멍멍이 뼈다귀를 그려서 또 오려서 담아옴)
캔디 이모와 엄마	(모두 감동)

강아지를 챙기는 다미 마음이 너무 예쁘다~~

자존심

6. 17. 2013

학교 컨퍼런스에서 선생님께 칭찬받은 걸 다미에게 말해준 며칠 후 교회에서..

다미　　엄마! 다미는 다섯 살인데 Brain age가 여섯 살 이라고 했더니 데니엘 오빠가 "내가 다섯 살때는 Brain age가 아홉살이였어"라고 했어.. 그래서 다미는 화가 났어..

엄마　　(귀여워서 웃음)

'음.. 그래. 자랑하다가 화가 났겠다…'

다미는 장난꾸러기

장난도
몰라.
엄마 화내
지 마요! 장난
치는 거야!

엄마놀이 2

6. 22. 2013

잠자려고 이 닦기 전..

다미	엄마! 엄마놀이하자!!
	엄마가 엄마하고 다미는 뱃속에서 태어나는거다..!!
엄마	(누우면서) 알았어~

엄마는 누워있고, 엄마 배 위에서 이불 뒤집어쓰고 웅크리고 있다가 앵애 앵애~~ 하며 태어난 다미.
찌찌 먹다가 자는 척 또 찌찌 먹다가 푸푸하는 척..

다미	(놀다가 갑자기 생각난 듯) 엄마!! 다시 애기 되고 싶어!!
엄마	왜~~~?
다미	이.빨.닦.기. 싫어~~~~

귀신은 속여도 다미는 못 속여

7. 2013

저녁에 성경공부 가는 차안

다미는 뒷좌석에 앉아 밥을 먹고 엄마는 운전석 옆에 둔 과자를 몇 개 집어 먹었는데...

다미 엄마.. 과자 먹는 거 다 알아.
왜냐면 사람은 귀가 있어 소리를 들을 수 있으니깐!

엄마 다미도 밥 먹고 나면 줄 거야~~

'아이고.... 그게 아닌데.. 아무튼!! 딱! 걸렸네!!'

Tooth Fairy

7. 2013

주변에 이빨 흔들리는 교회 언니, 오빠들을 보더니..

다미	엄마! 다미 이빨 빠지면 저녁에 이빨요정이 돈 주거든.. 그럼 그 돈으로 엄마 옷 사 줄께!!
엄마	다미 꺼 안사고?
다미	응..
엄마	(흐뭇한 표정으로 다미를 꼭 안아준다..)

'그래 다미야~~~ 너무 착하고 고마운데 이빨요정 돈은 엄마,아빠가 주는 거야... 흑흑..'

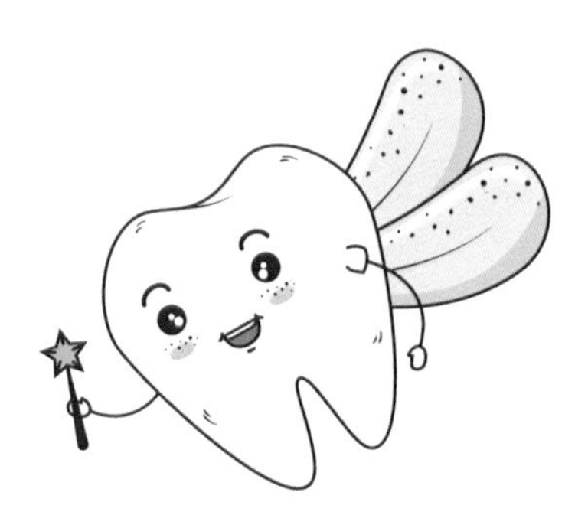

게임의 법칙? 우리의 법칙!!

9. 8. 2013

젠가 놀이 하다가..

엄마 다미야.. 지는 사람이 이기는 사람에게 뽀뽀 100번 하기다..
(엄마의 벌칙은 불변!! ^^)

다미 아니 꿀밤하자~~

- 얼마 전 배운 꿀밤 때리기가 너무 재미있는 다미 -

엄마 (벌칙 맘에 안 들지만) 좋아.. 그럼 진 사람이 꿀밤 맞기다~

다미 엄마! 진 사람은 기분도 안 좋은데 꿀밤까지 맞으면 화가나
잖아~ 그러니깐 이긴 사람 꿀밤 주자~~

엄마 그러자!! 히히히

순종

12. 5. 2013

엄마	다미야.. 학교에서 오후에 놀이터 갈 때 그때가 스넥 타임인데 왜 엄마가 간식 싸준 거 안 먹어~~?
다미	엄마! 엄마가 "놀 때는 놀고! 먹을 때는 먹고!" 라고 하셨잖아요..
엄마	……

'아이구… 말이나 못하면…'

순종? 복종?

9. 12. 2013

엄마	다미야.. 학교에서 스넥 먹다가 남아도 쓰레기통에 버리지 말고 그냥 가져와~ 그래야 다미가 어떤 음식을 잘 먹는지 어떤 음식을 싫어하는지 엄마가 알지~
다미	엄마.. 나 빨리 어른 되고 싶어..
엄마	왜?
다미	나도 어른 되서 엄마 야단치게..
엄마	……

자기성찰

12. 16. 2013

사리나 언니가 발라준 매니큐어가 너무 삐뚤빼뚤하여 속상한 다미..

엄마	다미야~~ 이제 아세톤으로 지웠으니 그만 잊어버려.. 이미 지난 일이야... 지난 걸 자꾸 생각하면서 속상해하면 어떡해..
다미	그게 바로 엄마야~~~!
엄마	......

'그래... 엄마가 지난 일에 좀 집착하지..^^ 다미 눈에도 그렇게 보였구나.. 엄마가 더 잘해야 겠다.. 다미 거울인데....'

2013년 크리스마스

12. 25. 2013

#크리스마스 아침

급하게 크리스마스 선물을 준비하느라 집에 있던 포장지에 싸서 머리위에 두었는데 아침에 일어나서는..

다미	(반가워하며) 어! 산타할아버지도 우리랑 똑같은 포장지 있네..
엄마	(화들짝 놀람)

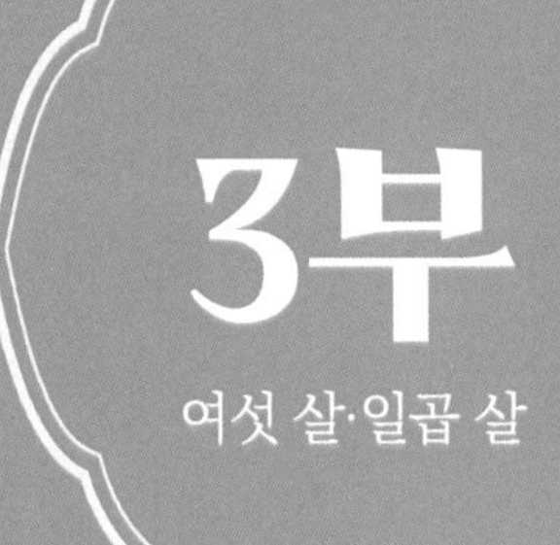

3부

여섯 살·일곱 살

주거니 받거니 1

1. 1. 2014

새해아침

다미	(눈 뜨자마자) 어머니~~ 새해 복 많이 받으세요~~
엄마	아이고~~~ 우리 다미도 새해 복 많이 받으세요~~ (이뻐서) 자! 새뱃돈!!
다미	(돼지 저금통에 넣다가 조금 떼서) 자!! 엄마도 새뱃돈 줄께..
엄마	와!!!! 따님한테 새뱃돈 받으니 좋네~~~ ^^

숨바꼭질

2. 25. 2014

엄마와 숨바꼭질 중인 다미.

어디 숨었는지 보이지 않아 못찾겠다 꾀꼬리를 부른 후 한참 만에 나오더니..

다미 (좋지 않은 표정으로) 엄마... 숨바꼭질 하다가 피피 쌌어....

엄마 (웃음)

'아이고.... 아직 애기네~~~'

막걸리

2. 28 .2014

할머니랑 텔레비젼 보다가 어떤 사람을 보고..

할머니	막걸리 먹은 사람처럼 비틀거리네..
다미	정말...
할머니	(깜짝 놀라며) 어!! 다미 너 막걸리가 뭔지 알아?
다미	응! 막걸리가 아니라 마카로니야....
우리 모두	히히히

콧방귀

4. 5. 2014

어른들 얘기를 듣고 있던 다미...

다미	엄마 콧방귀가 뭐야~? 코에서 방귀 끼는 거야?
엄마	ㅋㅋㅋ

키 높이 구두

5. 2014

교회에서 다미를 오랜만에 본 허집사님..

허집사님	(반가워하시며) 오!! 다미야~~ 키 많이 컷다~~
다미	아니예요 집사님.. 제가 키가 큰 게 아니라 신발에 굽이 있어서 그래요~
허집사님	!!!!!

Falling in Love

6. 2014

다미	레아가 네이튼 박 좋아한데..
에셔	둘이 사랑에 빠졌어??
다미	한번 허그 했데~~~
에셔	둘이 눈이 하트 됐겠네..

옆에서 모른 척 듣고 있으니.. 아이들의 대화가 참 순수합니다. ^^

백야

7. 2014

팜스프링 여행중.

팜스프링 가서 엄마랑 아빠랑 오랜만에 와인 한잔하려고 저녁 8시 반쯤 다미에게 자라고 했다..

다미 (창문의 커튼을 들춰보더니 진짜 이상한 듯) 이상 하네~~ 아직 환한데...

엄마 아빠 (같이 웃음)

'여름이라 해가 길기도 하고.. 음... 대충 안 넘어가네..'

고정강정?

10. 2014

평소 엄마 아빠 주고받는 얘기에서 "고정관념을 깨~~" 하던 소리를 자주 듣던 어느 날 절호에 찬스가 왔다!

다미	(얘기하는데 갑자기 훅 끼어들어) 그러니깐 고정강정을 깨~~~!!!
엄마 아빠	(웃음)

'갑자기 땅콩강정 먹고 싶네~'

우문현답

12. 2014

아빠	다미야~ 아빠랑 엄마 중에 한 사람만 살릴 수 있다면 다미는 누구 살릴 거야~~?
다미	(딱 1초 망설임) 아빠 쏘 럭키!!
아빠	왜????
다미	천국갈 수 있으니..
아빠 엄마	(불안한 침묵)

잘 이해하세요!! ^^

슈퍼맨이 전염됐다..

12. 20. 2014

노라조의 슈퍼맨을 즐겨 부르던 아빠 덕분에 노래를 자연스럽게 알아버린 다미..

아빠　　다미야~~~ 아빠가 암 것도 안 먹고 오늘 하루 종일 힘들게 일했어~~~

다미　　(슈퍼맨을 부르며) 아빠~~ 빈속이 날기 편해요~~~

아빠　　!!!!!!!

진리

12. 2014

베커스필드 유황온천 가는 산길을 달리며..

다미	저기 강물 속에 큰 물고기들이 살아...
아빠	다미가 봤어?
다미	보이지는 않는데 있는 건 알아...
아빠	(감동받아서) 그래! 그게 바로 진리야!!!!!!!

2014년 크리스마스

12. 25. 2014

크리스마스 아침

산타할아버지 선물을 보자마자..

다미 (진짜 신기하다는 듯) 어!!!! 산타할아버지 마샬* 갔다 오셨어??

엄마 (깜짝 놀라서) 어????

선물에 마샬 텍이 그대로 붙어있네... 텍을 안 땐 엄마 탓이네...ㅠㅠ
2013년에 이어 올해도 실수를 하다니...

SPECIAL CHRISTMAS MARSHALL

* Marshall : Off-Price Department Store

인생

1. 2015

디너 먹는 중에 밥풀을 계속 흘리는 다미를 보다가..

아빠	다미야~ 애기 때는 흘리다가 어른이 되면 안 흘리다가 늙으면 다시 흘린다...
다미	아... (한참 생각하더니) 아빠! 기어 다니다가 걸어 다니다가 기어 다닌다!!!
아빠	히히 또 있어.. 방귀 뀌다가 남 앞에서 안 뀌다가 늙으면 참을 수 없어 뀐다..
다미	(방귀얘기 젤 좋아하는 시기) 히히히
아빠	기저귀 차다가 기저귀 안 차다가 기저귀 찬다!!
아빠 엄마	그래~ 그게 인생이야~~~

재채기? 재치!

1. 2015

아빠	(갑자기 엄청 큰 소리로 재채기한 아빠) 엣!! 취!!!!!
엄마	(깜짝 놀라며) 와!! 다미야~~ 아빠 진짜 건강하다!
다미	아빠는 진짜 건강하고, 다미는 진짜 놀랐어요.^^
우리 모두	(웃음)

No 2

2. 2015

코스코 샤핑 중

다미 엄마! 다미 넘버 2 가야돼..

엄마 어? 갑자기?

다미 (조용하게) 샘플을 너무 많이 먹었나봐..ㅠㅠ

코스코만 오면 샘플 먹느라 정신이 없더니...

No 1 = 피피

No 2 = 푸푸

No 3 = 방귀

다 알면서..

3. 12. 2015

엄마	아이고~ 우리 다미 요즘 이갈이 하네.. 근데 이빨요정이 이빨 사 가져가서 뭐 할까~~?
다미	그거 엄마, 아빠가 하는 거지 이빨요정이 가져가서 뭐 하겠어??
엄마	....

'어떻게 알았지? 언제부터 알았지? 근데... 알면서,. 이빨 값은 왜 챙겼을까?'

살림꾼

3. 28. 2015

사라 이모네 놀러 간 우리 가족

고은이 언니와 샤워중인 다미..

사라 이모	고은아~ 샤워하고 나와서 이 옷 입어~~
고은이	엄마.. 그거 작아요.
다미	냅두세요! 제가 입을게요....
사라 이모	!!!!!
엄마	아이고 우리 다미 살림꾼이네~~ ^^

농땡이

4. 14. 2015

학교에서 점심시간 후 점프하다 발목을 다친 다미... 조금 일찍 픽업해서 집에 오는길.

다미 (혼잣말로 투덜거리며) 오늘 학교 안 갔으면 이런 일도 없었을 텐데...

엄마 (정말 할 말 없음) ....

망각

4. 16. 2015

패킹하우스 카페 정원

패킹하우스 뜰에서 얘기 나누는데 시끄럽게 떠드는 다미 때문에 주변사람들이 신경 쓰인 아빠..

아빠	다미야~ 애들 까불고 떠드는 거 싫어하는 사람들도 있어~
엄마	저도 다미 낳기 전에는 애들에게 관심 없어 예쁘고 얌전한 애들만 좋아했었어요. 다미야~ 아기 없는 사람들은 애들을 이해하기 힘들 때도 있어~~
다미	(어른들을 이해할 수 없다는 듯) 너도 애 였었는데.....
엄마	맞아.. 그랬었는데....

Sundae or Sunday

5. 3. 2015

교회에서 고은이 언니와 대화중.

고은이	Birthday girl 에게 Sundae ice cream 준데..
다미	(듣던 중 반가운 소리) 오늘이 Sunday 잖아!!
고은이와 엄마	ㅋㅋㅋ

설득력

5. 4. 2015

아빠	(농담으로) 다미야.. 아빠 귀걸이 할까?
다미	엄마.. 아빠 귀걸이 해도 돼요?
엄마	엄만 그런 거 싫은데~
다미	아빠~~ 하고 싶은 거 하고 나면 더 좋은 거 하고 싶고, 또 더 좋은 거 하고 싶고 그래. 벌써 아빠는 가장 좋은 걸 가졌잖아..
아빠	아빠가 뭘 가졌는데?
다미	가장 좋은 엄마랑 다미를 가졌는데 뭘 또 원해..?
엄마 아빠	(감탄하며) 와아!!

이웃사촌

5. 6. 2015

캔과 바바라는 우리 옆집 할아버지와 할머니인데 바바라 할머니와 다미는 친구처럼 지내는 사이다. 학교 갔다 와서 쿠킹 얘기, 친구 얘기 등등 세상 사는 이야기를 자주 나눈다.. 그런데...

다미	아빠.. 옆집 바바라가 요즘 안보여.. 캔이 많이 아픈데.. 돌아가실 건가봐.. 우리가 불노초* 좀 줄까??
엄마 아빠	(감동)

* 일명 불노초라 이름 지은 약초는 우리가 친한 사람들이 아플 때 주는 몸에 좋은 약초이다.

개인의 취향, 그리고 우리..

6. 2015

다미 아빠는 Home depot* 좋아하고
엄마는 Home goods** 좋아하고
다미는 Home town*** 좋아하고

엄마 그리고 우리는... 우리 Home을 좋아하고.....

---

* Home depot : 미국 건축자재, 용품 판매점
** Home goods : 미국 인테리어, 소품 할인점
*** Home town : 미국 패밀리 뷔페 레스토랑

성급한 가족

6. 19. 2015

아빠 견적 따라가기로 한 모녀..

엄마	(기다리고 있는 남편에게) 여보! 씻고 바로가요~
다미	옷을 입어야 가지!!
엄마 아빠	(웃음)

'아니.. 그만큼 빨리 준비한다는 얘긴데..'

말이 그렇다고~~ 2

7. 2015

다미와 복숭아를 먹고 있는데.. 잘 익은 복숭아가 너무 맛있었다....

엄마	세상에!!! 이렇게 맛있는 복숭아가 어디 있어~~?
다미	마켓에 있지~~~
엄마	...

'그건 나도 알지.. 말이 그렇다고....'

오해

7. 9. 2015

다미 엄마! 사람들은 결혼할 때 왜 입을 잡아먹어?

엄마 ...

영화 속 결혼식 장면에서 키스신을 보고....

조금 먹었습니다~~

8. 6. 2015

레띠 이모랑 식사 후

다미	잘 먹었습니다~~
레띠 이모	많이 먹지도 않았으면서.......
다미	그럼.. 조금 먹었습니다~~
레띠 이모랑 엄마	(웃음)

발상의 전환

8. 8. 2015

디너 먹는 중..

다미	(뜬금없이) 다미 동생 갖고 싶어..
아빠	다미야~ 애기 생기면 엄마, 아빠가 애기만 예뻐할 텐데…?
다미	(잠깐 생각하고 아주 명쾌하게) 그럼 다미도 애기만 예뻐하지!!
아빠 엄마	....

가짜

8. 2015

다미 Tooth Fairy 없는 거 알아..

엄마 그럼 누가 이빨값 줘~~?

다미 Harwood* 집에 살 때 엄마가 베게 밑에 손 넣는데 내가 자는 척 하다가... "엄마 뭐해?" 하니깐 엄마가 당황해서.. "아! 이빨 잘 있는지 보려고.." 했잖아!

엄마 ......

'그럼 왜 이빨 값은 꼭 받아 챙기니...?'

* Harwood : 옛날 살던 집

세뇌

8. 2015

엄마　　　　다미야.. 커서 누구랑 살 거야~?

다미　　　　엄마랑 살 거야..

말을 돌려가며 비슷한 질문을 계속해서 귀찮고 정신없던 차에...

아빠　　　　(갑자기 나타나 눈치 없이) 다미야~ 밤에 누구랑 잘 거야?

다미　　　　(버럭 소리 지르며 엄마를 가리키더니) 여기랑 산다니깐!!!!

아빠　　　　(영문도 모르고 눈치 보는 중)

엄마　　　　(눈치 없이 끼어든 남편 째려보는 중)

'급하다고 엄마한테 여기가 뭐야~~? 그리고 누구랑 자냐고 물어보는데 누구랑 사는지 왜 대답해...?'

꿰맞추기

8. 2015

한글학교 숙제중인 다미

그림을 보고 네모 속에 들어갈 말은? 그림의 정답은 허리띠였다.
영어로 벨트(Belt)를 생각한 다미.. 그러나 네모는 3개 뿐..

다미 베읕트???
엄마 아빠 (깔깔 웃음)

머리를 써 머리를!

9. 29. 2015

엄마	여보~ 다리가 아파서 운전을 못하겠어요..ㅠㅠ
다미	운전은 다리를 쓰는 게 아니고 핸들을 쓰는 거지 손으로!!
엄마	다미야~ 다미가 볼 때 손만 쓰는 것 같아도 발로 브레이크 페달 밟아야 해서 다리도 힘들어~ ^^

좋은 지적

11. 19. 2015

아빠	(기분이 좋은 아빠.. 운전하면서 노래 부른다..) 야이~ 야이~ 야~ 내 나이가 어때서~~~ ♪ 사랑하기 딱! 좋은 나인데~~~~ ♩
다미	아빠! 결혼했거든요!!!!!!
아빠	!!!!
엄마	(뿌듯해 하며 미소)

오줌싸개

12. 16. 2015

새벽에 다미 옆에 가신 아빠.. 자는 다미를 꼭 안아줬는데.. 뭔가 따뜻하면서 왠지 불길한 예감...

아빠	(갑자기 놀라서) 다미야!! 오줌 그만 눠!!!!
다미	(자다가 본인도 놀라서 오줌 STOP! ^^)

대단한 표현력

12. 27. 2015

교회 송년파티

실수 한번 없이 어른들 합창 중에 특송을 했던 다미.. 공연 후..

다미 엄마.. 마이크를 잡은 손에서 땀이 나고 등이 찌릿찌릿하고 입술이 바짝 마르고... 그랬어...

엄마 (감탄하며) 와~~~

'그 순간이 생생하게 느껴지네~'

4부

여덟 살·아홉 살

풍

1. 2016

할아버지, 할머니 3개월간 미국에 오셔서 다미랑 동네 산책 중에..

할머니	(감탄하시며) 와~~~ 단풍 예쁘다~~~~!!!
다미	풍이야!!!!!
할아버지와 할머니	!!!!

나이롱 뽕을 너무 많이 쳤나봐....
할아버지, 할머니에게 나이롱 뽕을 배운 다미의 요즘 제일 재밌는 게임^^

와! 천재야 천재!!

2. 2016

할머니가 미국에서 자주 흥얼거리던 송창식의 '왜 불러'.
자꾸 듣다보니 다미가 자연스레 노래를 알게 됨..

할아버지	다미야~
다미	왜~불러! 왜~불러! ♩
	돌아서서 가는 사람을 왜~불러! 왜~불러! ♪
할아버지	(어이없어하며 다시 한 번) 다미야..
다미	안~들려! 안~들려! 이제 다시는 나를 부르지도 마!!!! ♫
할아버지	....

쪽지 편지

3. 2016

집 안 복도 벽에 가족 게시판을 만들어 두었는데 어느 날 쪽지 편지가 도착했다.. 순수한 다미의 표현이 아름다운 사랑의 시가 되었다..

아빠는 너무 소중해요
세상에서 제일 좋아요
아빠! 왜 이렇게 좋아요?
아이~ 몰라!

나이롱 뽕 1

4. 2016

할아버지, 할머니, 아빠, 엄마 모두 모여 나이롱뽕 타임

다미 (후회하며) 7 내니깐 7 나오네..ㅠㅠ

모두 (아직까진 귀여워서 웃음)

한 바퀴 돌음..

다미 (아까워하며) 에잇! 똥 내니깐 똥 나오네..

(혼잣말) 이럴 줄 알았으면 또이또이 할걸..ㅠㅠ

모두 (할말없어 웃음만)

끝말잇기 1

5. 28. 2016

장거리 여행에선 끝말잇기가 최고. 셋이 차 타고 가다가 끝말잇기 시작..

엄마	길동무
다미	무역
엄마	(놀라서) 다미야 너 무역을 어떻게 알아?
다미	(당황해 하며) 아.. 미역인가?
엄마 아빠	(웃으며 무역에 대해 설명해 주고 다시 이어서..)
아빠	(고민하며) 역.. 역이 뭐있지???
다미	(자신 있게 끼어들어 힌트 준다) 역구리!!!
엄마 아빠	ㅋㅋㅋㅋ

화답

6. 2016

아빠랑 둘이서 장난치다가..

아빠	이! 치끼또 레이디[*] ~~~
다미	왜! 그란데 맨[**] ~~~~
우리 모두	히히히

[*] 치키또 레이디 : 이 조그마한 아가씨야~

[**] 그란데 맨 : 왜 큰 아저씨야~

한국말은 어려워~ 1

8. 4. 2016

마당에서 화초 정리 중인 엄마에게..

다미	엄마! 마당이 저기 맨날 있어!!
엄마	...어....?
다미	(뭔가를 가리키며) 저기 마당이 있다고!!
엄마	(이제야 알아차리고 웃으며) 아~ 나방?
다미	(무안해 하며) 응.. 나방 ^^

허상(illusion)

10. 2016

교회에서 배운 말씀 중에 다미에게 궁금한 게 있던 엄마..

엄마　다미야~ 일루젼이 뭐야~~?

다미　우리가 왁스뮤지움에 갔을 때 루비 잡으려고 손을 뻗었는데 안 잡혔지? 그게 일루젼이야~~

(잠깐 생각하더니) 우리가 사는 세상도 일루젼이야~~

엄마　Wow!

공짜가 좋아!

10. 12. 2016

다미	엄마 아빠는 길가다 우연히 만나면 좋고, 과자는 남의 것 뺏어 먹는 게 좋아.. ^^
엄마	(완전 공감) 맞아 맞아!! 엄마도 남이 해 준 밥이 맛있고 남이 사주는 밥이 맛있어.. ^^ (헤헤 웃다가 좀 씁씁한 기분)

'근데 앞에 좀 이상하네.. 매일 보면 불편한가??'

과유불급

11. 10. 2016

다미	엄마! 입이 크려고 입이 자꾸 드라이돼..
엄마	아빠처럼 입이 커지면 예쁘겠다!!
다미	에잉~~ 그건 너무 크지~~~~
우리 둘이	히히히

안주

2\. 2017

얼굴 개그중인 다미

엄마	다미야~ 얼굴 찡그리지 마~~ 미운 표정 짓지 마~~~ 나중에 미스 유니버스티 나가야지~~~
다미	안 나갈 거거든요!!! 나 편하게 살 거야~~~
엄마	(웃음)

드라마? 실화?

2. 5. 2017

교회 한글학교에서 한 다미 얘기가 너무 웃겼던지 한글학교 신미도 선생님이 예배 후 엄마에게 전해 주심..

신미도 선생님 다미가요... "며칠 전에 엄마가 다미 야단치고 있었는데 아빠가 끼어들어 아빠랑 엄마가 싸우게 되었어요... 너무 드라마 같은 일이죠...???" 이러는 거예요..

엄마 (무안해 하며 미소)

진짜? 가짜?

2. 16. 2017

운동삼아 쇼핑몰 산책중

해지는 저녁 가로등에 비친 하얀 꽃나무 아래 하얗게 내려앉은 꽃잎을 보며..

엄마 (너무 예뻐 감탄하며) 와~~~ 팝콘 같아!

다미 (깔깔 웃으며) 엄마! 이건 진짜 팝콘이야~~~

엄마 (황당하다는 듯 자신 있게) 아니야~ 팝콘같이 보이는 거야~

얘기하는 사이 나무 가까이 간 다미와 엄마

엄마 정말이네~ 누가 팝콘을 여기다 떨어트렸어??

다미 진짜 가짜 같다.. 그치!!

NO MSG

3. 9. 2017

한국식당에 간 다미와 엄마

벽에 붙은 메뉴판을 보다가 옆에 NO MSG 사인을 보더니..

다미	엄마! MSG가 뭐야?
엄마	응.. 화학조미료라고 음식 맛 낼 때 넣는 건데.. 이 식당은 그거 안 넣는데...
다미	아~~~ 나는 NO MESSAGE 인 줄 알았어..

옆 테이블에서 식사 중이던 한국인 부부, 듣고 있다 귀여워서 웃음.^^

집으로 가자~

3. 10. 2017

교회식구들이랑 아리조나에 계신 전도사님 댁으로 여행 감.

오전 하이킹을 끝내고 전도사님이 "집으로 가자!" 하니 김성수 목사님의 "집으로 가자" 찬양이 생각나 다 같이 찬양을 함..

다미 아니~~~ 그 집은 벌써 가면 안 되고....

교회식구들 (웃음)

다미가 그린 해피하우스

끝말잇기 2

3. 2017

셋이 끝말잇기하다 엄마는 벌써 떨어지고...

아빠	피박!
다미	박근혜!
아빠	혜? ... 어.. 뭐하지...?
다미	(끼어들기 선수) 해장국 해!
아빠 엄마	히히히

Sour Candy

3. 23. 2017

다미	엄마.. 남자들은 Sour Candy 같아! 처음에는 Sweet 한데 속으로 가면 반대야!!
엄마	(웃기고 놀란 표정) 학교에서 무슨 일 있었어?

'아빠도 그러는데.. ^^ 아홉 살이 그런 걸 어떻게 벌써 알지...?'

어떻게 알지??

4. 9. 2017

엄마 거짓말엔 두 가지가 있어..

다미 응... 나쁜 거짓말과 착한 거짓말!

엄마 !!!

'아홉 살이 그런 걸 어떻게 벌써 알지??'

여유만만

4. 26. 2017

\# 아이스 스케이트장

스케이트 타는 걸 싫어하는 다미에게 한번 찬스를 주고 싶은 엄마..

엄마 (애교부리며) 다미야~ 스케이트 계속할래? 넘 멋있잖아~

다미 사람마다 텔렌트가 있잖아 엄마...

엄마 (그 얘긴 싫다는 소리? 감정을 다스려 가며..) 다미는 뭐야 ~~~?

다미 (애교부리며) 찾고 있지~~

엄마 '말이나 못하면....'

똑같아요~~~

5. 19. 2017

학교가려고 현관에서 운동화를 신다가…

다미	이상하다~~~~ 햇빛에 말려 늘어났나~~~~?
엄마	(자세히 보고 웃음 터짐) 엄마 꺼야~^^

똑같은 검정 나이키 운동화를 샀더니.... ^^

Passing on the Generation

5. 22. 2017

아침에 학교 앞에서 만난 케이틀린 엄마와 Playdate 얘기 나누는 걸 보면서 다미와 케이틀린이 나눴던 얘기..

다미　　케이틀린이랑 다미는 둘 다 엄마들이랑 똑같이 생겼어. 우리가 커서 Playdate 얘기를 하면 뒤에 우리 같은 애기들이 유모차에 앉아있을 꺼야.^^

꼼수

5. 27. 2017

책 읽고 잠들기 전..

엄마	(다미와 뽀뽀하고 싶은 엄마) 다미야~~ 우리 입 붙이고 자자.. (거짓말 시작) 다미가 애기 때 매일 입 붙이고 자자고 해서 엄마가 귀찮아도 입 붙이고 잤어~~~~
다미	(씨익 웃더니) 반대인거 같은데~~~
엄마	'들켰다!!!!'
우리 둘이	히히히

한국말은 어려워 2

5. 31. 2017

다미가 뭐라 뭐라 얘기를 계속 하는데 엄마는 자꾸 못 알아듣고 딴소리를 하니깐...

다미	(자기 스스로에게 답답하고 속상해서 자책하듯) 아~~~ 다미가 아직 한국말로 표현을 잘 못하는구나...
엄마	(못 알아들어 미안해하며) 아니! 넌 이미 충분해!!!! ^^

화해

6. 1. 2017

학교 끝나고 차에 탄 다미.. 타자마자 아빠를 찾는다..

다미	아빠는?
엄마	음~~ 아빠랑 좀 안 좋아서 엄마 혼자 다미 픽업 왔어...
다미	엄마! 유치원에서 안 배웠어? "I am sorry~~" 몰라?? (씩씩거리며) 이번만 해결해 준다!!!
엄마	(눈치 보는 중) '벌써 여러 번 해결해 줬지....'

I Love Kimchi

6. 10. 2017

일주일 중 유일하게 한가한 토요일 아침..다미랑 뒹굴고 장난치다가 이불을 들썩거렸는데..

엄마	왜 이렇게 방귀냄새가 나지??
다미	(씩 웃으며) 다미가 20초 전에 방귀 뀌었어!
엄마	윽!! 근데 왜 김치냄새??
다미	어제 김치 많이 먹었거든..
우리 둘이	히히히

내면의 아름다움

6. 10. 2017

학교에 아무도 모르게 다미가 좋아하는 남자친구 알렉스~ 우리끼리는 "까까몰리"라는 암호로 얘기한다..

엄마　(갑자기 까까몰리 소식이 궁금했던 엄마) 까까몰리는 요즘 어때?

다미　릴리아를 좋아해.. (머뭇거리며) 앤드류도 릴리아를 좋아해..

엄마　(눈치를 살피며 소심하게 리엑션) 아… 모두들 릴리아를 좋아하는구나….

다미　(한숨 쉬며) 애들이 어려서 안에를 못 봐!!

엄마　아… 안에를 보면 누구야~?

다미　(씩 웃으며) 다미….

우리 둘이　히히히

성숙? 앎?

6. 11. 2017

주일날 아침 교회

다미	엄마.. 예전에는 예배드릴 때 의자에 엉덩이 반만 앉았어..
엄마	왜~?
다미	(자기도 웃기는지 웃으며) 내 옆에 하나님 앉으라고..
엄마	아.. 지금은~?
다미	하나님은 Physical Shape 이 있는 게 아니고 Sprit 인거니 내 마음에 늘 같이 있어.. ^^
엄마	(감동)

Wave~

6. 19. 2017

거울 앞에서 노래 부르고 춤추다가 항상 Wave에서 느낌이 끊김..

다미 (답답한지) 엄마 Wave 어떻게 해? 알려줘!

- 알려준 후 다미 맹연습 중 -

엄마 (계속 쳐다보다 도저히 못 참고) 다미야! 팔하고 상체가 Wave 돼야지 넌 눈썹이 Wave 되잖아!!

끝말잇기 3 - 절정판 -

7. 27. 2017

차에서 심심할땐 끝말잇기가 최고.

끝말잇기 금기어는 늘 개, 똥, 방귀... 뭐 이런 것들

아빠	논개!
다미	(그럼 그렇지.. 똥으로 가야지) 개똥!
아빠	(아뿔사) 똥방구!
다미	(젤 좋아하는 똥방구 소리에 흥분) 구멍!
아빠	(그래 계속 가보자) 멍멍이 똥구멍!
다미	(콧구멍 커지고 목소리 커짐) 멍멍이 설사!
아빠	(아빠도 같이 흥분) 사장님 똥구멍!
다미	(아!!!! 너무 재밌어!!!!) 들은 똥구멍!
아빠	(소리 질러) 멍개!
다미	(스탑이 안돼!!!!!) 개똥구멍!
아빠	(선을 넘는 아빠) 멍멍이 고추!
엄마	Stop!!!!!!!!!

'딸내미 기분 맞춰주는 건지 본인이 더 신난 건지....'

개입?

8. 1. 2017

다미	아빠! 망고 스무디 끝 맛이 아빠가 먹은 공진단이랑 맛이 비슷해!
아빠	(마셔보더니) 어.. 진짜 그렇네....
다미	내 입이 개 입이지????
엄마 아빠	히히히

'냄새 잘 맡아 개 코라고 했더니 '

그럼 없던 일로...

8. 2017

다미 (갑자기) 엄마.. 산타할아버지 진짜 아니지..? 나도 알아 고은이 언니가 없다고 했어...

엄마 어! 그럼 올해부터 다미 산타할아버지 선물 못 받겠네...?

다미 (머리 굴리는 중) 어.. 다미는.. 근데......
산타할아버지 믿어!!!!!!

낮말이든 밤말이든 다미가 듣는다

9. 25. 2017

조집사님 부부는 이것저것 상식이 많은 분들이다. 주일날마다 많은 정보를 나눠 주시는데 가끔은 잘못된 정보도 있다..^^

엄마	여보~ 조집사님 정보를 다 믿으면 안 되겠어요...틀린 것도 있더라고요~~
아빠	(뭐라 말하려는데 갑자기 끼어든 다미)
다미	(눈이 휘둥그레져서) 그럼 지난번에 조집사님이 머리 자르면 키 큰다고 해서 그날로 엄마가 미용실가서 내 귀한 머리를 단발로 잘랐는데.. (충격에 잠시 말을 멈추더니) 그럼 그건 진짜야.......?
엄마	(정신 차리자!) 어! 그럼~~그래서 지금 이렇게 다리가 길고 예쁘잖아~~
엄마 아빠	(마음속으로 휴~~~)

대단한 상상력

10. 17. 2017

평소에 집안 가구배치를 자주 바꾸는 엄마.. 항상 뭔가 아이디어가 떠오르면 줄자보다 빠른 손 뼘으로 치수를 잰다..

아빠	다미야... 엄마 또 뭐 바꾸려고 손으로 치수 잰다..
다미	아빠! 내일은 내 책상이 천정에 붙어있을지도 몰라!!
우리 모두	히히히

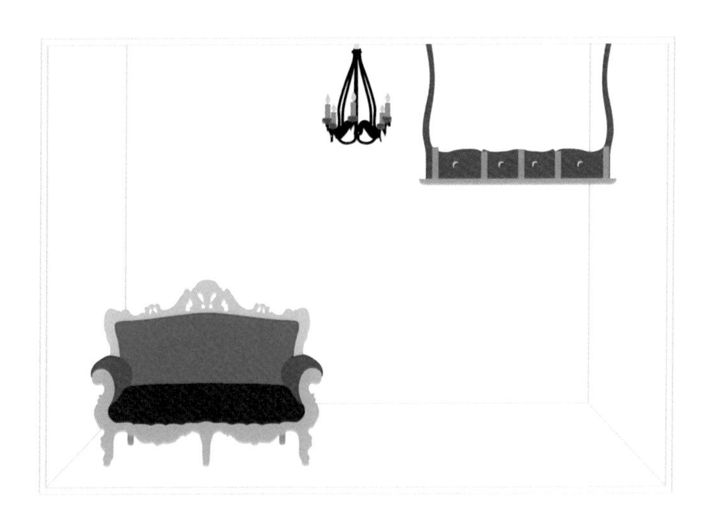

I Love 순두부

10. 18. 2017

해물순두부에 맵기는 보통을 가장 좋아하는 다미. 오늘도...

아빠	우리 애기 오늘 점심 뭐 먹을래??
다미	순두부!
아빠 엄마	(역시나 하며) 히히히
다미	해물 보통!!!!
우리 모두	히히히

같은 단어, 다른 생각

12. 7. 2017

'영재 발굴단'이란 프로그램에 스피치 영재가 나왔다.. 관심분야는 정치, 경제, 사회, IT(Information Technology)에 관심이 있다고 하니깐..

다미	(놀라며) 'It'에 관심이 있데!!!
엄마	히히히

'It'은 미국에서 할로윈에 개봉한 공포영화!

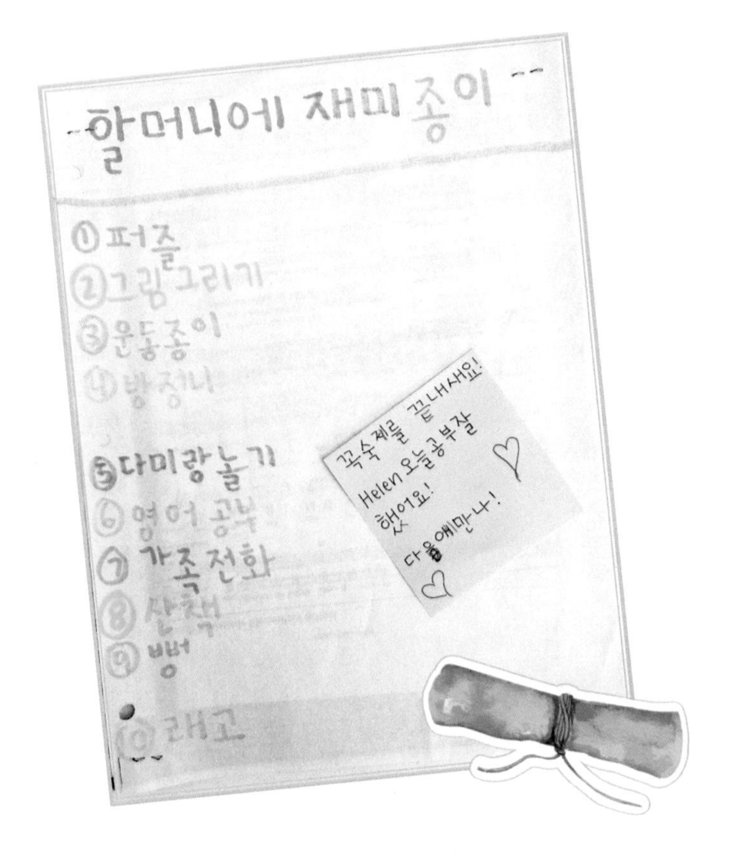
할머니에 재미종이
① 퍼즐
② 그림그리기
③ 운동종이
⑤ 다미랑 놀기
⑥ 영어 공부
⑦ 가족 전화
⑧ 산책
⑩ 래고
꼭숙제를 끝내새요!
Helen 오늘공부잘
했어요!
다음에만나!

나이롱 뽕 2

12. 19. 2017

\# 팜스프링 온천여행

팜스프링 온천에 놀러간 할머니, 아빠, 엄마, 다미.

할머니, 할아버지가 오시면 빠질 수 없는 놀이.. 그건 바로 나이롱 뽕!

다미 (씨익 웃으며) 왜 화투에서 똥냄새가 나지...?

(능청스럽게) 똥이 있어서 그런가봐~~~

우리 모두 히히히

더 크고 싶어

12. 21. 2017

팜스프링 온천여행

마지막 날 Check Out 하고 맥도날드에서 Pan Cake 3장을 먹은 엄마를 보더니..

다미	(놀라며) 와~~ 이거 다 먹었어? 아빠! 엄마가 크려나봐~~~
우리 모두	히히히

5부

열 살·열네 살

새해 덕담

1. 1. 2018

2018 새해아침

다미	(갑자기) 사과하려고 사과 사 왔어요~ 감사하려고 감 사 왔어요~ 배 아파서 배 사 왔어요~ 골 아파서 골뱅이 사 왔어요~~~~
우리 모두	히히히

듣는 이 있네~~~

4. 2018

쇼핑몰 주차장

할머니랑 쇼핑가는 게 흥에 겨워 큰 소리로 '개굴개굴 개구리' 동요를 불렀다~~ 그것도 한국말로!!

다미 개굴개굴 개구리 노래를 한다~~~
밤새도록 하여도 듣는 이 없네~
듣는 사람 없어도 날이 밝도록~
개굴개굴 개구리 노래를 한다~~~
개굴개굴 개구리 목청도 좋다!!!!

노래가 끝나자마자 어떤 아저씨가 뒤돌아보시더니..

어떤 아저씨 (웃으며) 너 노래 참 잘한다~~~~
할머니와 다미 (너무 놀라 할 말 잃음)

'우리 동네에는 한국 사람들이 거의 안 사는데 하필 거기서.... ^^'

엄마

김다미

내가 웃을 땐

함께 웃어주고

내가 울을 땐

눈물 닦아주고

내가 필요할 땐

거기에 있지요

5. 13. 2018 마덜스데이 다미의 시

엄마꽃

6. 2018

엄마	(길가에 예쁘게 넝쿨진 꽃나무를 보고 다가가서) 다미야.. 이 꽃 좀 봐! 볼 때마다 너무 신기해.. 핑크 꽃 안에 하얀 작은 꽃이 또 있어!
다미	(한참 쳐다보더니) 우리도 이거 심자!
엄마	그래.. 지난번에 꽃집에 물어봤는데 이름이 너무 어려워서.. 우리가 이름 짓자.. 뭐로 하지?
다미	(또 한참 쳐다보더니) 엄마꽃으로 하자! 큰 꽃이 작은 꽃을 안고 있으니깐..
엄마	(감탄하며) 와~ 너무 예쁜 이름이다~~~

나중에 찾아보니 부겐빌레아(Bougainvillea)라는 꽃 이였다.

71717

Daddy & Me

Susie Kim

You play with me

You take care of me

You sing for me

You dance for me

I clap for you

I obey to you

I act nice to you

I shine for you

You are the best daddy

for Me

7. 17. 2018 Daddy's Birthday Poem

옆접시?

9. 2018

외식중인 가족

다미 엄마! 옆접시 주세요!

엄마 다미야~ '앞접시'라고 하는거야~^^

'생각해보니 미국 레스토랑에서는 Side Plate라고 하니 직역하면 다미가 맞네. ^^'

까꿍~

1. 2019

한국마켓에 간 다미

동선 무시하고 젤 좋아하는 과자코너로 직행.. 과자들을 카트에 담다가...

다미	(반가워하며) 와~~ 아빠가 좋아하는 새우까꿍이다!!!
엄마	(너무 귀여워서 웃음) 새우깡이네~~^^

사랑표현

3. 2020

다미가 너무 예뻐서 머리를 만져줬더니..

다미	엄마.. 다미도 엄마 쓰드람아 줄까?
엄마	(잠깐 이해 못 하고) 응?
	(금방 알아채고) 아... 쓰다듬어 준다고~~?
우리 둘이	(웃음)

꿈인지 생신인지..

6. 2020

다미	엄마! 이번 졸업식에 다미가 스피치하게 됐어!!!
엄마	오!!! 다미야 너무 축하해!!!
다미	(아쉬운 표정으로) 근데 코비드라 졸업식도 온라인으로 해...
엄마	그래... 그게 아쉽다... 졸업식인데.... 그래도 다미가 졸업 연설하니깐 엄마 너무 기뻐!!
다미	그치... 이게 꿈인지 생신인지...
엄마	(웃음)

코리안 인심

8. 2020

\# 오렌지 라이브러리

여름방학에 동네 라이브러리 갔다가 세미나에 온 슬라이더를 우연히 만났다.

다미 (반가움에 차 뒷좌석을 두리번거리며) 엄마! 슬라이더*한테 뭐 줄 거 없어??

엄마 (같이 급한 맘에 찾다가) 아.. 오늘따라 아무것도 없네...

졸업 후 우연히 만난 슬라이더가 너무 반가웠던 모양이다.. 파킹랏에서 잠깐 얘기 나누나 헤어짐.

* 슬라이더는 초등학교에 있는 라이브러리안 (사서)

말이라는 건 말이야

9. 19. 2020

엄마 다미야.. 엄마가 아빠랑 100불 내기해서 이겼거든.. 그래서 100불 받으면 10% 빼서 다미 줄게~

다미 그럼 나 90불 갖네..

엄마 너는 Math A+인데 10%가 얼마인지도 몰라?

다미 10%가 10불이니깐 10불 빼면 90불 줘야지!!!

엄마 (잠시 헷갈림) '이상하게 설득력 있네...'

주거니 받거니 2

9. 19. 2020

저녁밥으로 김치찌개 해 줬더니 김치찌개만 먹고 있는 다미..

엄마	(걱정스런 눈빛으로) 밥은 안 먹고 짜게.. 김치찌개만 먹는 사람이 어딨어?
다미	여깄어!!

불편한 부탁

11. 4. 2020

엄마, 아빠 오래간만에 둘만의 여행 전야.. 그래서 셋이 같이 자려고 누웠는데...

다미	아빠~~
아빠	그래 우리 애기~~
다미	여행 가서 동생 만들어 와~~
우리 모두	히히히

맹세코

11. 13. 2020

다미 생리 예정일이 3일이나 지나서....

엄마	(혼잣말처럼) 음~ 왜 3일 지났는데 우리 애기 생리를 안 하지...?
다미	(억울하다는 표정으로 정색하며) 어!! 나 뽀뽀 같은 거 안 했어!!! I Promise!!!
엄마	!!!! '누가 뭐래?'

하루가 천년

11. 29. 2020

할아버지와 통화 중인 다미. 이런저런 얘기 하다가...

할아버지 다미야~ 요즘엔 왜 전화를 안 해?

다미 할아버지! 일주일밖에 안됐거든요!!

할아버지 ..... 그런가...?

그니깐

11. 29. 2020

엄마	여보~ 어리굴젓이 먹고 싶어~ 창란젓도 먹고 싶고…
다미	왜 이렇게 젓이 많아!!!!
엄마 아빠	…….

언행 불일치

12. 6. 2020

일욜 새벽 1시가 넘었는데 홈웍중인 다미

다미	(투덜거리며) 흠... 선생님들이.. 즐거운 주말 보내라면서 홈웍을 이렇게 많이 내주냐!!!
엄마	(말없이 쳐다볼 뿐)

침묵

12. 20. 2020

코로나 펫인 우리 강아지 리버랑 놀다가

엄마	리버가 엄청 똑똑해~
다미	나는!
엄마	아구~ 우리 다미는 말도 못하게 똑똑하지~~!
다미	근데 왜 말해??
엄마	(침묵)

사랑의 트위스트

12. 24. 2020

한국 방송 '트롯 신이 떳다'를 보며 엄마 아빠가 노래를 따라 부르는데...

엄마 아빠 온 동네를 주름잡았던~~ ♪♫

다미 EW 이유~ 더러워!!

엄마 아빠 (신나게 노래하다 당황해서) 왜? 엄마 아빠 노래하는데...

다미 엉덩이를 주름잡는 게 뭐야~ 이유 더러워!!

엄마 아빠 히히히

무서운 마을

10. 25. 2021

겨울방학에 다미랑 한국 할아버지 댁에 가기로 해서 계획 세우는 중에...

엄마	다미야.. 한국 가면 할아버지 댁 동네에 무섬마을* 가자!
다미	싫어~~ 무서운 마을에 왜 가??
엄마	히히히

* 경상북도 영주시 문수면 수도리에 있는 전통마을

헷갈릴게 따로 있지

12. 5. 2021

다미 엄마.. 내 친구 칼리... 쓰러져서 Concussion 가졌어..

엄마 오... 뇌진탕인데....

다미 그건 개 끓여먹는 거 아니야?

엄마 그건 보신탕이고..... 아무튼... 지금 괜찮아?

다미 응

엄마 다행이다.

호객행위

1. 4. 2022

십 년 만에 한국 여행 중 남대문시장 갈치조림 골목에서...

식당 아줌마들	이리와~ 이리와~ 잘해줄게~
다미	(어리둥절해 하며) No!를 못하게 하네...
엄마랑 할머니	히히히

그래 밥 먹자

1. 6. 2022

한국 여행 중 롯데월드에 처음 간 다미

엄마	우리 환상의 숲 가자!
다미	뭐 먹게?
엄마	응? 아니.. 뭐 타러 가자고...
다미	스프라면서...
엄마	(이제야 알아듣고 웃으면서) 아니.. 숲!
다미	아.. 난 '환상적인 스프'라는 줄 알고....
엄마	(속으로) '우리 아가 배고픈가?'

상상하기 싫어

3. 10. 2022

엄마	여보.. 저녁에 아귀찜 먹을까요?
다미	아귀찜.. 진짜로 악어야?
엄마	(귀여워서 웃으며) 아귀라는 생선으로 만든 요리야..
다미	아.. 난 악어찜 인줄....
우리 모두	(웃음)

네버엔딩 끝말잇기

3. 31. 2022

아빠랑 다미랑 끝말잇기 중

피망 -〉 망고 -〉 고추 -〉 추어탕 -〉 탕수육 -〉 육개장 -〉 장조림

엄마　　똥, 방구 나오기 전에 끝내고 밥먹자~
　　　　오늘은 배고픈가 보네.. ^^

한국 욕 배워가는 중

4. 8. 2022

학교 공부가 힘들고 사춘기라 스트레스가 많은 다미

엄마	너.. 요즘 씨~ 많이 하더라..
다미	씨!
엄마	(놀라는중)
다미	레기국!!!
우리 둘이	히히히

이모셔널 다미

4. 8. 2022

할아버지, 할머니랑 오시면 자주 치던 나이롱 뽕을 아주 오랜만에 엄마 아빠랑 쳤는데... 치다가 갑자기 우는 다미.. 파토 내고 끝낸 후 자기 전에...

엄마	참.. 다미야~ 아까 왜 울었어?
다미	(또다시 울먹거리며) 나~ 엄마 아빠 없어질 건데... 그럼 누구랑 뽕 쳐??
엄마	그럼.. 다미 남편이랑 다미 애기랑 치지?
다미	싫어 싫어!!
엄마	(말없이 꼭 안아주기)

주거니 받거니 3

4. 27. 2022

엄마	다미야~ 가위 쓰고 엇다가 뒀어?
다미	젓다가 뒀지!
우리 둘이	히히히

What ????

6. 2022

하이 스쿨 9학년인 다미.. 치어리더 캡틴으로 바쁜 활동을 하는 중.. 수업 후 치어리더 연습까지 마치고 차 타자마자 가방을 던지듯 내려놓더니!

다미 엄마! 이런 십 학년이!!!!
얼마나 힘들게 운동을 시키는지...........

엄마 (순간 나한테 욕하는지 알고 운전하다 사고 날 뻔) 어....
십 학년 언니가 힘들게 하는구나.....

'근데 왜 이렇게 웃기지..?^^'

미국 의무교육 체계

Kindegarten - 유치원

Elementary - 초등학교 (1~6학년)

Middle school - 중학교(7~8학년)

High school - 고등학교 (9~12학년)

"할머니~ 오래오래 사세요."

다미 말대로 이루어지길

8. 4. 2022

할머니랑 영상 통화하는 중

다미	할머니 뭐해?
할머니	아침 먹지~
다미	뭐 먹는지 보여줘~
할머니	(밥상을 보여주시며) 어.. 나물이랑 야채랑 샐러드랑.... 잡곡밥이랑....
다미	(쭉 보더니) 오~~래 살겠네!!!
엄마	(옆에서 당황)

불편한 진실

10. 14. 2022

하이 스쿨 생활이 힘든 다미.. 수업 끝나고 픽업해서 집에 가는 차 안..

다미	엄마.. 나 겨울방학에 카운슬링 할까 봐~
엄마	(운전하면서 자연스럽게) 엄마가 해 주면 안 돼~?
다미	(아무렇지도 않으면서 단호하게) 아니~ 엄마에 대해서도 말해야 하고....
엄마	(괜히 찔림.. 많이 찔림..) .....

-The End-

Epilogue

문득 생각나요.
저 또한 사랑받는 딸이었음이..

이제 4월이면 다미는 열여섯 Sweet Sixteen이네요.
성년식을 기념하며 책이 출간되어 기쁩니다.

일상을 메모하다 보니 날짜가 빠진 부분도 있고, 저에게는 주옥같은 (^^) 기억의 편린들이 저장 과정에서 일부 날아간 일 등은 여전히 아쉬움으로 남습니다.

하지만 「다미책」은 언제나 저에게 영혼의 닭고기 수프처럼 몸과 마음에 위로를 줄 것입니다. 실제로 제가 아플 때 다미는 종종 Chiken noddle soup 을 만들어 주니까요..

도움 주신 Sam Kim, 김경진 님, 윤은실 님 그리고 다미책의 저자이자 주인공인 다미에게 따뜻함을 건네준 등장인물들 모두에게 감사와 사랑을 전합니다.

2023년 따뜻한 겨울 캘리포니아에서....

Recommendation

추천인의 글

AI에 지배당한 빠른 시대 속에서 우리 모두 사소한 소중함을 놓치고 있지는 않는지..

여기,
꽃이 피어나는 과정을 가만히 지켜보듯 아이의 성장을 사랑으로 지켜보는 여인의 글을 눈여겨보자.

스쳐가듯 지나가는 엄마와 딸의 대화는 소소한 듯 느긋하고 순수하지만 지혜롭다. 재치 있고 때론 엉뚱한 딸의 생각은 놀라움을 금치 못한다.

바쁜 일상을 잠시 멈추고 마음으로 음미해 보자.. 느리게....

결혼을 앞두었거나 갓난 아이를 키우는 당신이라면 긍정적으로 키운 엄마의 마음도 더불어 들여다보는 지혜가 찾아오리라.

시인 김광성

Thank you

신기할 정도로 마음먹은 일을 꾸준히 해내는 사람들이 있지요.
바로 「다미책」의 저자이자 주인공인 다미의 엄마 레나 작가가 그렇습니다.

2010부터 지금까지 10년 이상, 하루하루 달라지는 아이의 순수한 언어와 기쁨의 순간들을 기억하기 위해 써 내려간 기록들이 참으로 소중하고 아름답습니다.

미국에 사는 한국 소녀 다미의 엉뚱하고 즐거운 에피소드들로 가득한 이 책은 자녀와 함께한 시간의 소중함을 다시 한번 일깨워주는듯합니다. 그리고 말합니다. 사랑만 하기에도 너무 짧은 인생, 존재만으로도 빛나는 내 아이를 있는 그대로 사랑하라고...

끝으로,. 이토록 소중한 「다미책」을 디자인하고 편집하게 되어 더없이 감사하고 행복했음을 전하며 이제 곧 성년이 되는 다미에게 주는 최고의 선물이 되길 기대해 봅니다.

감사함을 담아...

다미책

발행 2024년 4월 22일

저자 Susie Kim · Lenna Kim
기획 Sam Kim · 김경진
편집 · 디자인 윤은실
펴낸이 한건희
펴낸곳 주식회사 부크크
출판사등록 2014.07.15.(제2014-16호)
주 소 서울특별시 금천구 가산디지털1로 119 SK트윈타워 A동 305호
전 화 1670-8316
이메일 info@bookk.co.kr

ISBN 979-11-410-8110-2

www.bookk.co.kr